星際旅人13月亮曆法

自我存在的红月年

2022 / 7 / 26 - 2023 / 7 / 25

目錄

星際旅人 13 月亮曆法
自我存在的紅月年

創意總監
朱衍舞 Rafeeka / Kin 15

總編輯
黃妐俐 Salika / Kin 225

執行編輯
王譯民 / Kin 37

文字翻譯
朱衍舞 Rafeeka / Kin 15
張蘭藍 Leelamanda / Kin 223

排版設計
廖祖芳 Latifa / Kin 35
郭倍孜 Karima / Kin 81

插圖
張蘭藍 Leelamanda / Kin 223
羅碧瑩 / Kin 223

校對
張蘭藍 Leelamanda / Kin 223
王諾 Noor / Kin 200

出版日期 2022 年 5 月

出版發行
新星球出版

創意團隊
亞洲時間法則 & 3128 玩美生活部落

新星球

3128 玩美
生活部落

銀河七方祈禱文

來自東方，光之宮，
願智慧曙光在我們裡面，
所以我們可以清晰的看到一切。

來自北方，夜之宮，
願智慧果實在我們裡面，
所以我們可以從內在了悟一切。

來自西方，蛻變之宮，
願智慧蛻變為正確的行動，
所以我們可以完成必須完成的。

來自南方，永恆的太陽之宮，
願正確的行動能得以結果，
所以我們享受行星存有的果實。

來自上方，天堂之宮，
喔！此時此刻啊！
就在那星際的同胞與先民在一起的地方，
願他們的祝福流向我們。

來自下方，地球之宮，
願地球水晶體核心的心跳，
能賜福於我們，使我們都和諧，
讓世界得以終止所有戰爭。

來自中心，銀河的源頭，
當下所在之處，
願一切事物皆以至愛之光為名，

Ah Yum, Hunab Ku, Evam Maya E Ma Ho!
Ah Yum, Hunab Ku, Evam Maya E Ma Ho!
Ah Yum, Hunab Ku, Evam Maya E Ma Ho!

前言

　　嗯！我知道，你有可能不知道這是一本什麼樣的小書，但我依然想赤誠地邀請你，在準備閱讀它之前，停在此刻當下——感受一下自己的呼吸，放慢呼吸的節奏，用鼻子慢慢吸一口氣，嘴巴微微張開，慢慢吐氣；感覺自己的心隨著呼吸慢慢敞開了。是的，就是這樣！當下即是共時，在你讀到這些文字時，銀河中心要為你解鎖時間膠囊早已為你準備好的 GIFT 禮物／天賦；在開啟這份驚喜前，我們要一起用我們的聲音誦讀自我存在的紅月的肯定句祈禱文，進入太陽年的新週期（2022 / 7 / 26 ～ 2023 / 7 / 24）：

自我存在的紅月年
第 69 段肯定句祈禱文

我確定是為了淨化
我權衡我的流動
我決定宇宙之水的作用
隨著形式的自我存在的調性
我被生命力的力量所引導
我是銀河啟動之門，進入我

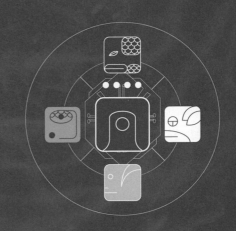

INVITATION

 來自銀河中心的邀請函

歡迎來到自我存在的紅月年！

　　所有親愛的星際家人們，當我們能夠敞開心，以自己順心且流動的節奏、步調來開始這趟「時間」的旅行是很重要的。關於時間，只關乎當下。所以，我想你一定會同意：我們用清晰意識去設定一個意圖，一個可以提供我們自我檢視，以及值得我們去追求的指引，那就是：當下，我透過日常生活的一切發生，來活出生命的幸福感。或許，你會質疑：有可能嗎？而我知道：當然，絕對可能！

　　那位引領我們在時間旅行中拓荒的智者 —— 瓦倫‧沃坦說過：「那個擁有你的時間的人，同時擁有你的心智頭腦。」然而，那個人是誰？又是誰在經驗這日常生活的一切發生？答案可想而知。

　　我知道，你一定開始感覺到，甚或開始有一種：每個字，我都看得懂；但，又看不懂的感覺。其實，到目前為止，我相信，只要你順心流動，那清晰意識的意圖會直指→**當下，我透過日常生活的一切發生，來活出生命的幸福感**。然後，開心地搭上這艘【地球時間飛船】。

　　自我存在的紅月年，起始於西元 2022 年 7 月 26 日，農曆六月廿八，星期二。我們的「地球時間飛船」航行到了新天狼星第一個 52 年週期的第 35 年，第 1 個月亮，目的的磁性蝙蝠之月，紅色啟動之週，等離子體 DALI 頂輪的第 1 天，星系印記是 Kin 69，自我存在的紅月。結束於西元 2023 年 7 月 24 日，農曆六月初七，星期一，第 13 個月亮，當下的宇宙龜之月，黃色成就之週，等離子體 SILIO 心輪的第 28 天，星系印記是 Kin 172，電力的黃人。

為了讓你可以完全理解上一段內容，我請來 星際夜空小學堂 的服務星使，來腦補一下：

13 月亮曆法的制定

在地球運行的自然規律，如何找到 **13×28 自然循環週期** 的線索？「地球時間飛船」是以 13 月亮曆法（又名 13 月亮 /28 天曆法）作為計算與記錄日子的。這部曆法是以西曆（格里高利曆）的 7 月 26 日作為新年的第一天，就在這一天，天空中最亮的一顆星 —— 天狼星，那在許多古老文明都將其視為銀河星系標誌的星球。7 月 26 日的破曉時分，天狼星會偕同太陽同時沿著地平線升起，以約三分鐘之差，地球即與太陽、天狼星，校準成一直線，以此向我們宣告，新的循環週期開始運轉。而月球繞地球轉一圈是 28 天，地球繞太陽轉一圈是 365 天。現在，換你腦力激盪一下；那麼地球繞太陽轉一圈，月亮繞地球至少需要轉幾圈？再試著延伸聯想，女性月經週期的平均天數是 28 天，那麼一位女性一年要經歷幾次月經週期？所以，讓我們一起與地球運行的自然週期 13×28 校準吧！月亮繞地球轉 13 圈，每轉一圈需要 28 天，13×28 ＝ 364 天，形成一年（太陽年），等於形成了完整的 52 週，每一週有 7 天，52×7 ＝ 364 天。那第 365 天呢？怎麼不見了？

【364+1】中的【+1】其實並不屬於任何月亮中，或任何星期中的某一天，這一個日子被稱為【無時間日】——那個透過文化以及體現「時間就是藝術」來慶祝和平的日子。在純然的神聖時間裡，時間不存在，空間不存在。當我們不朽永恆的意識復甦時，將知道，ＭＡＹＡ，我們會穿越幻象，且回歸銀河中心的光中。而這一天，就錨定在西曆的 7 月 25 日；【無時間日】就是要允許我們全然地慶祝生命本身！T(E) = Art，正說明以能量作為元素的時間，就是藝術，而宇宙中所有能量型態的本質就是「美」。

理解指標：

1. 13 月亮曆法的新年為何從 7 月 26 日開始？

2. 13 月亮曆法是從西曆中的哪一天開始？哪一天結束？

3. 無時間日是在西曆中的哪一天？其意義為何？

4. 13 月亮曆法一年中有幾個月亮，而每一個月亮有幾天？

　　總而言之，13 月亮曆採用了月亮測量週期的中間值／平均數 28 天。從外太空觀察，28 天的循環週期是月球繞地球一圈所需的時間。就是介於 29.5 天的月亮會合週期（從新月到新月所需的時間）與 27.1 天的月亮恆星週期（公轉一圈後回到軌道上的原來位置所需的時間）之間的中間平均數。無論是會合週期，抑或恆星週期，都是從地球的視角來觀測月球所得到的。

　　因此，對地球的太陽軌道的完美測量，採用了 28 天的月球標準（13 x 28 ＝ 364）。一年中月球繞地球公轉 13 次。而另一個有趣的現象也值得關注，月亮每天在天空中移動的弧度是 13 度。

　　然而，13 月亮曆法是如何制定「閏日」？首先，最重要的是要先去理解閏日在西曆中的作用。這是為了解釋地球繞太陽公轉的週期略大於 365.225 天的現象。有許多種方式去調節這每四年積累出額外的一天。記住，不同的曆法系統對此有不同的處置方式。而西曆則是創建一個閏日，就是其中一種處置方式。這也是在我們的意識中被編碼的一種解決方案，且我們已然被它深深制約著。

　　而 13 月亮曆法中，對於每四年積累出額外的閏日，將之視為 **Hunab Ku 0.0**，並且通常發生在銀河星系之月的第 22 天和第 23 天之間（對應西

曆的 2 月 29 日）。在 13 月亮曆法系統將這個日子 —— 閏日制定為一個特別的靈性日，因為 Hunab Ku 就是銀河中心，是宇宙動力與測量的至高無上的創造者與給予者。所以，當你在查閱自己的星系印記時，若你是出生在閏日的正午之前，請以 2 月 28 日 的星系印記為基準；若你是出生在閏日的正午之後，請以 3 月 1 日的星系印記為基準。

　　如何隨著 13 月亮曆法生活？當然，僅以你所在的地方，從此刻開始！你可以在這本小書中 **13 月亮曆法曼陀羅**裡找到對應西曆的日期，依照自己輕鬆開心的步調開始一趟說走就走的時間旅行，享受沿途被共時啟發的驚喜。

　　是的，就是現在！翻閱 **13 月亮曆法曼陀羅**，找到 7 月 26 日，你將看到它對應著 13 月亮曆法的磁性之月，紅色啟動之周，等離子體 DALI 頂輪的第 1 天，在卓爾金曆上的銀河常數編碼是 Kin 69，星系印記是自我存在的紅月。當然，記得，任何時候，你共時地巧遇這部曆法，且有感覺想要更深地去了解它時，甚至想要學習而將之成為生活的日常，這就是一個「正是時候」的清晰諭示。秉持著：我知道，只要過好每一個日子，就會自然地過好日子。

　　然後，開啟學習模式，從每日的星系印記中，共振 13:20 的共時頻率，從中觀察每一個日子 —— Kin，如何以 **20 個太陽圖騰與 13 個銀河調性**編織出一張充滿生命力的時間魔毯，體證自己如何透過精準的編碼模組，生活中微妙地得到更多的啟發，進而完美轉化，就在透過每一個日子的星系印記進行日常的靜心冥想時，可以更親密地去連結身體、更覺知地去觀照腦中浮現的念頭，更精細去感覺內心的感覺，那麼你一定會驚奇地發現：你不是沒有時間去完成你的計劃、夢想、或理想；而是，那被舊有的時間模式「時間就是金錢」所禁錮的心智頭腦，已經遠離自己的自然太遠了。不過「正是時候」學 13 月亮曆法，讓自己的生命來一個完美翻轉吧！

13:20 共時週期神聖卓爾金曆

　　其實，13 月亮曆法亦是一部共時同步曆，祂透過共時序的鏡頭，為我們在日常生活導航的星際羅盤。而共時性就是宇宙本來的存在狀態。跟隨 13 月亮曆法的引領，帶我們進入共時序，展開一種新的能量模組。共時編碼就是心電感應的語言，以及精準數學的語法。

　　強烈邀請你直接翻到小書的封底，用眼睛直接去看卓爾金曆表，是最直接透過感受與直觀來學習新事物的方式。卓爾金（Tzolkin），其字義上的解釋就是神聖莊嚴的總數。以 260 天為一個完整的週期，由 **20 個太陽圖騰**與 **13 個銀河調性**所組成四維的 13:20 的時間母體，即「13×20」組合成 260 個 Kin（260 天）。每一個日子（Kin）都是藉由一個**太陽圖騰**與一個**銀河調性**的組合，形成裝載宇宙能源的時間單位，以此形成一個星系印記，進而開展出五大神諭力量。我相信你一定迫不及待想要知道自己的星系印記了吧！

　　請參閱第 12 頁的圖表，就可以依據西曆的日期來查詢星系印記的編碼。當我們認出共時性的流動，我們便能夠開始理解領會在我們的生活與自然之間相互關聯的模式，心電感應的能力因此增強。自然將因我們開始覺察到每一片葉子與每一朵花背後隱含的數學與神聖幾何而煥發出新的色彩，生命因此顯現新的意義。

　　沒有任何事物是平凡的，一切都是精準的，一切都是數學的，一切都是優雅的。萬事萬物皆由編碼所組成，且是一個更大宇宙計畫中的一部分。

解鎖你的星系印記

　　你的星系印記是進入高維的密碼；它是一個探索發現你生命存在的不同面向的通道或門戶。透過對你的星系印記進行靜心冥想，你將發現揭示出這個印記所具有的獨特頻率。請參閱第 12 頁，來查詢你的星系印記。每個星系印記由指引、相似（支持）、相反（挑戰）及隱藏的五大神諭力量組成。例如，今年流年的星系印記是自我存在的紅月，對這五大神諭力量可作出如下解讀：

　　自我存在的紅月（宇宙之水）獲得白狗（心）的支持；接受紅蛇（生命力）的指引；受到藍風暴（自然運生）挑戰／強化，接收來自黃人（自由意志）的隱藏力量。欲瞭解更多關於你個人五大神諭力量的內容，請登錄 facebook.com/lawoftimeAsia 或 閱讀《星際旅人 13 月亮共時同步曆》。

　　猶如氣是人體內的環境，時間亦如心智的大氣層。如果我們生活在機械式地分鐘和小時來調控的月份與日期所組成的不規律的時間之中，就會造成我們的心智頭腦產生：一種機械式運轉的不規律性。

　　既然一切源於心智頭腦，那麼我們生活的環境受到更多的污染就不足為奇了。與此同時，最大的抱怨聲就是：『我沒有足夠的時間！』

　　「誰擁有你的時間，誰就擁有你的心智。只有擁有自己的時間，你才能了解你自己的心智。」—— 荷西·阿圭列斯（José Argüelles）《論時間》（A Treatise on Time）

　　13 月亮曆法，不僅僅是計算日子的工具，也是一個追蹤共時性模式的參照系統。靜心冥想一下，時間法則所具有的以下準則：

時間是屬於心智的。

時間是意識的進化。

時間是普世共同的共時同步的元素。

時間就是藝術！

如何找到你的星系印記

1. 從下頁**年份表**中查找，寫下你出生的「年份」旁邊對應的數字。

2. 再加上，從**月份表**中找到「月份」對應編碼的數字。

3. 現在，再加上，**你出生月份中的日期。**
例如，如果你出生在11月28日，就加，28。重要提示：2月29日/閏日，被稱為 Hunab Ku 0.0 —— 完全無時間的一天。生日在2月29日的人：如果你出生在當地時間的正午之前，請用2月28日找到你的星系印記。如果你出生在當地時間的正午之後，請用3月1日找到你的星系印記。

4. **以上三個數字相加的總和，就是你的星系印記 Kin 的數字！**
如果你得到的數字大於 260，需要減去 260。

5. 直接翻到小書封底的卓爾金曆，**找到你 Kin 的數字**，就是你的星系印記。
例如，Kin 9 是「紅月 🔲」的圖騰和「太陽的」調性「調性 9 ●●●●」。
這個星系印記就是「太陽的紅月」或「紅月 9 🔲」。

年份表　　YEAR TABLE

2065	2013	1961	1909	217
2064	2012	1960	1908	112
2063	2011	1959	1907	7
2062	2010	1958	1906	162
2061	2009	1957	1905	57
2060	2008	1956	1904	212
2059	2007	1955	1903	107
2058	2006	1954	1902	2
2057	2005	1953	1901	157
2056	2004	1952	1900	52
2055	2003	1951	1899	207
2054	2002	1950	1898	102
2053	2001	1949	1897	257
2052	2000	1948	1896	152
2051	1999	1947	1895	47
2050	1998	1946	1894	202
2049	1997	1945	1893	97
2048	1996	1944	1892	252
2047	1995	1943	1891	147
2046	1994	1942	1890	42
2045	1993	1941	1889	197
2044	1992	1940	1888	92
2043	1991	1939	1887	247
2042	1990	1938	1886	142
2041	1989	1937	1885	37
2040	1988	1936	1884	192
2039	1987	1935	1883	87
2038	1986	1934	1882	242
2037	1985	1933	1881	137
2036	1984	1932	1880	32
2035	1983	1931	1879	187
2034	1982	1930	1878	82
2033	1981	1929	1877	237
2032	1980	1928	1876	132
2031	1979	1927	1875	27
2030	1978	1926	1874	182
2029	1977	1925	1873	77
2028	1976	1924	1872	232
2027	1975	1923	1871	127
2026	1974	1922	1870	22
2025	1973	1921	1869	177
2024	1972	1920	1868	72
2023	1971	1919	1867	227
2022	1970	1918	1866	122
2021	1969	1917	1865	17
2020	1968	1916	1864	172
2019	1967	1915	1863	67
2018	1966	1914	1862	222
2017	1965	1913	1861	117
2016	1964	1912	1860	12
2015	1963	1911	1859	167
2014	1962	1910	1858	62

月份表　　MONTH TABLE

一月	January	0
二月	February	31
三月	March	59
四月	April	90
五月	May	120
六月	June	151
七月	July	181
八月	August	212
九月	September	243
十月	October	13
十一月	November	44
十二月	December	74

範例演示：

荷西・阿圭列斯 / Valum Votan

1939 年 1 月 24 日 出生

247 + 0 + 24 = 271 - 260 = 11

Kin 11 光譜的藍猴

史蒂芬妮・南 / Red Queen

1973 年 1 月 8 日 出生

177 + 0 + 8 = 185

Kin 185 電力的紅蛇

如何找到你的指引

每個星系印記都有指引的圖騰，記住，指引的調性永遠跟主圖騰的調性相同，使用指引表找到任何一個星系印記的指引。

範例演示： 找 Kin 114 行星的白巫師

調性：10 （行星的）

圖騰：14 （白巫師）

在白巫師圖騰 的平行列中，對應到上面調性 10 的圖騰是白風 。

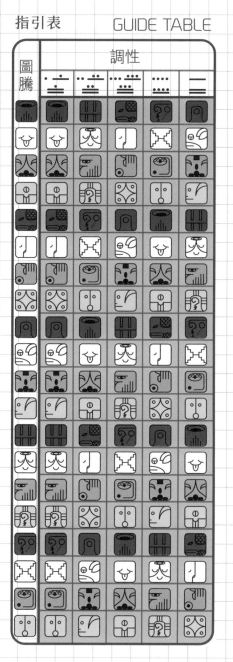

指引表　　GUIDE TABLE

塗繪神諭之鑰 —— 五大神諭力量

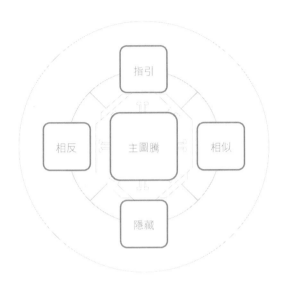

旅行來到了一個重要的景點，就是要塗繪專屬於你的神諭之鑰 ——
五大神諭力量，這是開啟星際意識之門的重要儀式。我相信你勢必已經透
過自己的出生年、月、日，找到自己星系印記的「主圖騰」以及「指引圖
騰」。

接下來要傳授給你三個公式：
相似圖騰的公式：主圖騰 + 相似圖騰 =19。
相反圖騰的公式：主圖騰 +10。大於 20 時，請減去 20 即可。
隱藏圖騰的公式：主圖騰 + 隱藏圖騰 =21。

範例演示：主圖騰是紅月，在 20 個太陽圖騰中的序列編碼是 9，就是
9+〔10〕=19，那麼〔10〕就是相似圖騰的序列編碼，因此得知紅月的
相似圖騰 （支持力量）是白狗。請參閱 20 個太陽圖騰的表格，即可得知
其序列編碼。當你找出你的五大神諭的五個圖騰後，把它們畫在神諭之鑰
上，並塗上圖騰專屬的顏色，那神諭的光將照亮你的意識，進入高維的銀
河意識，與整個銀河同頻共振。嗯，我想你需要一本空白的時間旅人的手
札本了。在此預祝你，旅途愉快。

【共時好日子的生活要點】
活出共時序的 7 個關鍵

1. 每日練習「平常心靜心」來放鬆頭腦，進入自然的狀態。讓你的念頭隨著吐氣消融。這個練習不僅讓我們感受更平靜，更加歸於中心，同樣地，它也可以創造出一種帶來和平的精神支柱，以補償平衡快節奏的世界。記得，每一天，都要給自己找到那個可以安靜下來、獨處的時間，來進行「平常心靜心」，那麼當我們真正處在靜心的當下，我們才能真正的回到自己；而當我們真正的回到自己時，我們才能以真實的本性來做自己，使自己完整。

2. 使用這本年曆，每天寫下至少一件你感謝的事物。這個練習保持我們的心智頭腦朝向積極正能量的方向。因為，感恩與感謝是最高的頻率。

3. 每日練習「轉負為正」。在這個時期，我們的挑戰是，專注於我們希望創造的世界。一切要服務於長遠的未來。而我們的振動頻率影響著整體。

4. 每日跟隨 13 月亮曆法靜心冥想每日星系印記的能量。這個系統讓你運用一種宇宙的透視鏡去看待每日的生活事件。

5. 持續記錄共時日誌。你越關注共時的發生，這些共時的發生就會愈多。

6. 組建一個共時學習的團體，去分享共時的發生。啟動全新的宇宙對話，分享你最高的夢想。讓全新的意識紮根於地球。

7. 參與無時間日藝術慶典的和平共聚。(13x28＝364) 加上多出的一天，也就是 7 月 25 日，無時間日，代表靈性的神聖時間。邀請你透過「文化慶典」或靜心，在你所在的地方，組織一場無時間日的和平活動！無時間日被視為全球一年一度慶祝銀河星系自由的日子，倡導「時間就是藝術」、「文化鑄就和平」。你可以登錄 galacticSpacebook.com，建立與全球其他人的連結。亞洲華文地區的星際家人，可以關注亞洲時間法則的 FB 粉專。

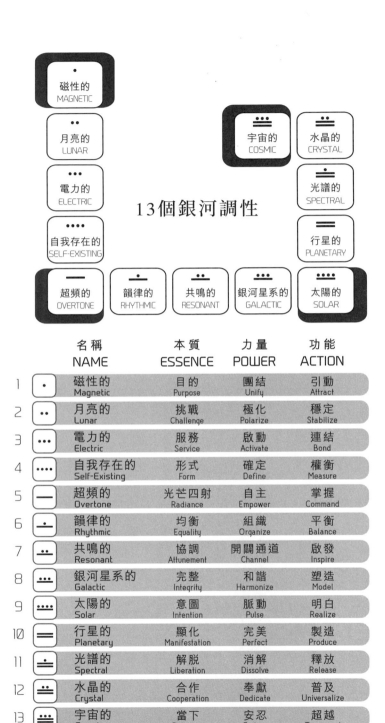

13個銀河調性

		名稱 NAME	本質 ESSENCE	力量 POWER	功能 ACTION
1	·	磁性的 Magnetic	目的 Purpose	團結 Unify	引動 Attract
2	··	月亮的 Lunar	挑戰 Challenge	極化 Polarize	穩定 Stabilize
3	···	電力的 Electric	服務 Service	啟動 Activate	連結 Bond
4	····	自我存在的 Self-Existing	形式 Form	確定 Define	權衡 Measure
5	—	超頻的 Overtone	光芒四射 Radiance	自主 Empower	掌握 Command
6	·—	韻律的 Rhythmic	均衡 Equality	組織 Organize	平衡 Balance
7	··—	共鳴的 Resonant	協調 Attunement	開闢通道 Channel	啟發 Inspire
8	···—	銀河星系的 Galactic	完整 Integrity	和諧 Harmonize	塑造 Model
9	····—	太陽的 Solar	意圖 Intention	脈動 Pulse	明白 Realize
10	═	行星的 Planetary	顯化 Manifestation	完美 Perfect	製造 Produce
11	·═	光譜的 Spectral	解脫 Liberation	消解 Dissolve	釋放 Release
12	··═	水晶的 Crystal	合作 Cooperation	奉獻 Dedicate	普及 Universalize
13	···═	宇宙的 Cosmic	當下 Presence	安忍 Endure	超越 Transcend

20個太陽圖騰

圖騰 & 數字		顏色 & 名稱	力量	功能	本質
SEAL	NUMBER	COLOR NAME	POWER	ACTION	ESSENCE
1	·	紅龍 Red Dragon	出生 Birth	滋養 Nurtures	存在 Being
2	··	白風 White Wind	心靈 Spirit	交流 Communicates	呼吸 Breath
3	···	藍夜 Blue Night	豐盛 Abundance	夢想 Dreams	直覺 Intuition
4	····	黃種子 Yellow Seed	盛開 Flowering	對準目標 Targets	覺知 Awareness
5	—	紅蛇 Red Serpent	生命力 Life Force	生存 Survives	本能 Instinct
6	— ·	白世界橋 White Worldbridger	死亡 Death	均衡 Equalizes	機會 Opportunity
7	— ··	藍手 Blue Hand	貫徹 Accomplishment	知道 Knows	療癒 Healing
8	— ···	黃星星 Yellow Star	優雅 Elegance	美麗 Beautifies	藝術 Art
9	— ····	紅月 Red Moon	宇宙之水 Universal Water	淨化 Purifies	流動 Flow
10	— —	白狗 White Dog	心 Heart	愛 Loves	忠誠 Loyalty
11	— — ·	藍猴 Blue Monkey	魔法 Magic	遊戲 Plays	幻象 Illusion
12	— — ··	黃人 Yellow Human	自由意志 Free Will	影響 Influences	智慧 Wisdom
13	— — ···	紅天行者 Red Skywalker	空間 Space	探索 Explores	覺醒 Wakefulness
14	— — ····	白巫師 White Wizard	永恆 Timelessness	喜悅 Enchants	接受 Receptivity
15	— — —	藍鷹 Blue Eagle	視野 Vision	創造 Creates	心智 Mind
16	— — — ·	黃戰士 Yellow Warrior	智能 Intelligence	詢問 Questions	無懼 Fearlessness
17	— — — ··	紅地球 Red Earth	導航 Navigation	進化 Evolves	共時 Synchronicity
18	— — — ···	白鏡 White Mirror	無窮無盡 Endlessness	反思 Reflects	秩序 Order
19	— — — ····	藍風暴 Blue Storm	自然運生 Self-Generation	促進催化 Catalyzes	能量 Energy
20 or 0	⊖	黃太陽 Yellow Sun	宇宙之火 Universal Fire	擺脫蒙昧 Enlightens	生命 Life

20個太陽圖騰延伸意涵

黃太陽

醒來吧！當「金色的陽光灑落，照徹山谷的昏昧」。願當一個被太陽之光照拂的孩子吧！

圖騰編碼：0 / 20　　　　　地球家族：極性家族
身體部位：右手大拇指　　　對應行星：冥王星
色彩家族：黃色（成就）　　星際原型：開悟者

紅龍

萬物生命的最初始，是從海洋深處而來的，是那滋養生長的岩漿。

圖騰編碼：1　　　　　　　地球家族：基本家族
身體部位：右手食指　　　對應行星：海王星
色彩家族：紅色（啟動）　星際原型：原動力

白風

每個生命依存呼吸而活，而風於無形中交流著人與人之間的訊息。

圖騰編碼：2　　　　　　　地球家族：核心家族
身體部位：右手中指　　　對應行星：天王星
色彩家族：白色（淨化）　星際原型：女祭司

藍夜

萬物存有完美和豐富的直覺與夢的法則，倘若人都有夢想，那就作一個高維莊嚴的夢吧！

圖騰編碼：3　　　　　　　　地球家族：信號家族
身體部位：右手無名指　　　對應行星：土星
色彩家族：藍色（蛻變）　　星際原型：夢想家

黃種子

一旦覺察到了，對準目標，意識的種子就注定會開花結果。

圖騰編碼：4　　　　　　　地球家族：通道家族
身體部位：右手小拇指　　對應行星：木星
色彩家族：黃色（成就）　星際原型：純真的人

紅蛇

動物本能的根就是生存的動能，從脊椎意識之中柱燃起「亢達里尼」的火蛇，貫穿天地。

圖騰編碼：5　　　　　地球家族：極性家族
身體部位：右腳大拇趾　　對應行星：馬爾代克星
色彩家族：紅色（啟動）　星際原型：啟動的蛇

白世界橋

死亡幻象裡的真相，就是沒有死亡。死亡只是均衡生命的宇宙法則。

圖騰編碼：6　　　　　地球家族：基本家族
身體部位：右腳食趾　　對應行星：火星
色彩家族：白色（淨化）　星際原型：教皇

藍手

阿凡達的創造力之手，用雙手的智能去創建新地球樂園，用雙手的大腦去知道真理。

圖騰編碼：7　　　　　地球家族：核心家族
身體部位：右腳中趾　　對應行星：地球
色彩家族：藍色（蛻變）　星際原型：阿凡達

黃星星

星際意識的美麗，將生命化作可以呈現藝術的宇宙視窗。

圖騰編碼：8　　　　　地球家族：信號家族
身體部位：右腳無名趾　對應行星：金星
色彩家族：黃色（成就）　星際原型：藝術家

紅月

宇宙之水洗淨所有，儘管月有圓缺，生命的境遇有潮起潮落。

圖騰編碼：9　　　　　地球家族：通道家族
身體部位：右腳小拇趾　對應行星：水星
色彩家族：紅色（啟動）　星際原型：治療師

白狗

凡事先無條件去愛自己，凡事先無條件對自己忠誠與真誠，那麼愛將是你的存在狀態。

圖騰編碼：10　　　　　　地球家族：極性家族
身體部位：左手大拇指　　　對應行星：水星
色彩家族：白色（淨化）　　星際原型：慈悲者

藍猴

玩出生命全部的樣子，在地球這一顆球形的遊樂場裡盡情地玩耍、遊戲。

圖騰編碼：11　　　　　　地球家族：基本家族
身體部位：左手食指　　　　對應行星：金星
色彩家族：藍色（蛻變）　　星際原型：魔術師

黃人

自由意志的金剛智慧就是完全對自己的行為負責。以此才能培養出真正的影響力。

圖騰編碼：12　　　　　　地球家族：核心家族
身體部位：左手中指　　　　對應行星：地球
色彩家族：黃色（成就）　　星際原型：聖哲之人

紅天行者

探索於無形的時空之中，敢於走在未知的道路，敢於走錯的時候，探詢出路。

圖騰編碼：13　　　　　　地球家族：信號家族
身體部位：左手無名指　　　對應行星：火星
色彩家族：紅色（啟動）　　星際原型：預言家

白巫師

閉眼，才能看盡自己的真心，真心了，才能全然地接受生命的所有發生，真心接受，心就喜悅了。

圖騰編碼：14　　　　　　地球家族：通道家族
身體部位：左手小拇指　　　對應行星：馬爾代克星
色彩家族：白色（淨化）　　星際原型：巫師

藍鷹

萬物就在藍鷹的宇宙之眼裡面，在大陽之父的皇冠尖頂上；一覽宇宙的廣闊，創造宇宙的無限。

圖騰編碼：15　　　　　　　地球家族：極性家族
身體部位：左腳大拇趾　　　對應行星：木星
色彩家族：藍色（蛻變）　　星際原型：先知

黃戰士

透過探索，尋找，詢問驅除所有恐懼，無論結果、無論答案，早已準備好全部接受那來到生命的發生。

圖騰編碼：16　　　　　　　地球家族：基本家族
身體部位：左腳食趾　　　　對應行星：土星
色彩家族：黃色（成就）　　星際原型：開創者

紅地球

航行地球的導航器，隨著時間共時的軌跡，人類腳踏實地追隨自己的心跳與地球心跳同步共時的鼓聲，走在自我進化的道路上。

圖騰編碼：17　　　　　　　地球家族：核心家族
身體部位：左腳中趾　　　　對應行星：天王星
色彩家族：紅色（啟動）　　星際原型：領航者

白鏡

反映宇宙之鏡那無窮無盡的相，原來穿越無窮無盡的相之後，才能看到真實。

圖騰編碼：18　　　　　　　地球家族：信號家族
身體部位：左腳無名趾　　　對應行星：海王星
色彩家族：白色（淨化）　　星際原型：瑜伽士

藍風暴

讓釋放可以自然一點，而蛻變就在徹底釋放後促進催化出無限的能量！

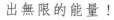

圖騰編碼：19　　　　　　　地球家族：通道家族
身體部位：左腳小拇趾　　　對應行星：冥王星
色彩家族：藍色（蛻變）　　星際原型：世界的改革者

人類「人體」全息圖

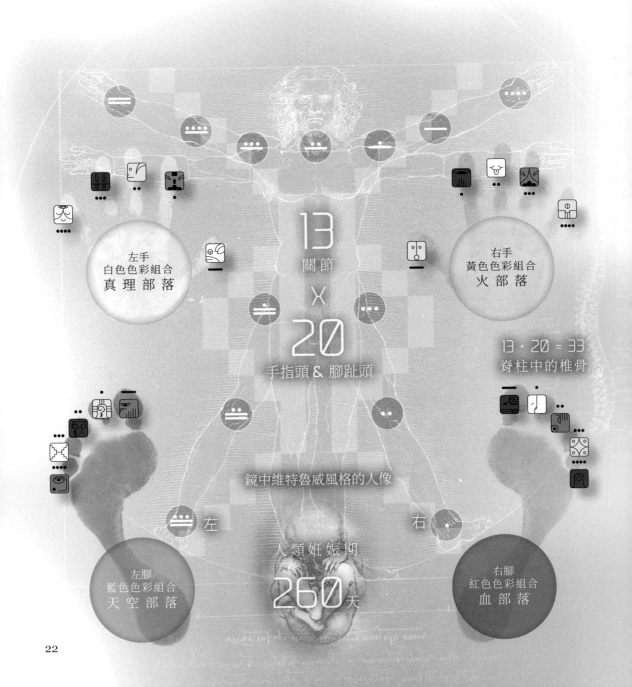

左手
白色色彩組合
真 理 部 落

右手
黃色色彩組合
火 部 落

13
關節

×

20
手指頭 & 腳趾頭

13 + 20 = 33
脊柱中的椎骨

鏡中維特魯威風格的人像

左

右

人類姙娠期

260 天

左腳
藍色色彩組合
天 空 部 落

右腳
紅色色彩組合
血 部 落

行星地球全息圖中的 5 個地球家族

脈輪		家族
頂輪	━	極性家族
喉輪	•	基本家族
心輪	••	核心家族
太陽神經叢輪	•••	信號家族
海底輪	••••	通道家族

人體中的 7 個脈輪

放射狀等離子體		元音	脈輪		
DALI	⊕	OM	頂輪	：對準 ━	熱
GAMMA		HRAHA	眉心輪	：鎮靜 ━	熱光
ALPHA		HRAUM	喉輪	：釋放 ━	雙向擴展電子
SILIO		HRAIM	心輪	：放電 ━	精神電中子
LIMI		HRUM	太陽神經叢輪	：淨化 ━	精神電子
KALI		HRIM	臍輪	：建立 ━	靜態擴張
SELI		HRAM	海底輪	：流動 ━	光

誦讀「紅月」的星際原型禱詞

在繼續這趟時間旅程之前，以熱血真誠的心，邀請你與我一起，誦讀「紅月」星際原型 —— 治療師的祈禱文。

【紅月】

治療師

我是治療師，紅月是我的圖騰，【9】是我的數字
流動的水，是時間的力量，是命運與生命的週期
我消融於宇宙之水，透過內在的神聖溪流，我淨化一切
且，提升所有自然界的振動
我是整體的和諧，以及生命的再生
我是水，我是流動的，我與月相合一
我是孕育生命之水的女王，我是雨水，也是雨溪流
我育養所有的植物，以及開花草藥
在我神聖的流動中，有著萬物的親屬關係
我被葉子、樹根、種子和百花的輝煌，所滋養，所加冕
神聖心靈的至高無上
要知道我，以及我那無盡的療癒力量
就得拋開所有的懷疑，並且進入忠實信仰的流動中

13 月亮曆法曼陀羅

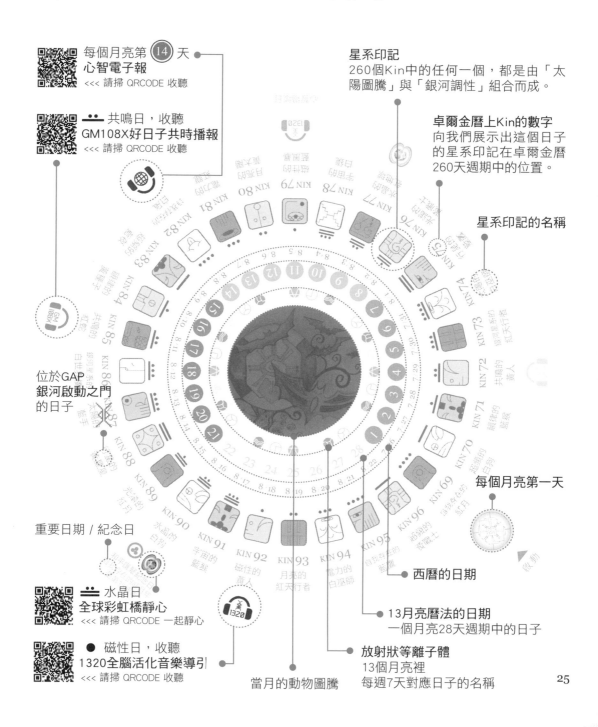

每個月亮第 ⑭ 天
心智電子報
<<< 請掃 QRCODE 收聽

‥ 共鳴日，收聽
GM108X好日子共時播報
<<< 請掃 QRCODE 收聽

星系印記
260個Kin中的任何一個，都是由「太陽圖騰」與「銀河調性」組合而成。

卓爾金曆上Kin的數字
向我們展示出這個日子的星系印記在卓爾金曆260天週期中的位置。

星系印記的名稱

位於GAP
銀河啟動之門
的日子

每個月亮第一天

重要日期 / 紀念日

西曆的日期

水晶日
全球彩虹橋靜心
<<< 請掃 QRCODE 一起靜心

● 磁性日，收聽
1320全腦活化音樂導引
<<< 請掃 QRCODE 收聽

13月亮曆法的日期
一個月亮28天週期中的日子

放射狀等離子體
13個月亮裡
每週7天對應日子的名稱

當月的動物圖騰

25

目的的磁性蝙蝠之月

第一個月亮

2022 / 7 / 26 - 8/22

我的目的是什麼？

少年賞橋日

1320

KIN 81 自存代的的藍風暴
KIN 82 超頻的黃太陽
KIN 83 韻律的紅龍
KIN 84 韻律的黃種子
KIN 85 共鳴的紅蛇
KIN 86 銀河星系的白世界橋
KIN 87 太陽的藍手
KIN 88 行星的黃星星
KIN 89 光譜的紅月
KIN 90 水晶的白狗
KIN 91 宇宙的藍猴
KIN 92 磁性的黃人
KIN 93 月亮的紅天行者
KIN 94 電力的白巫師
KIN 95 自我存在的藍鷹
KIN 96 超頻的黃戰士
KIN 69 自我存在的紅月
KIN 70 超頻的白狗
KIN 71 韻律的藍猴
KIN 72 共鳴的黃人
KIN 73 銀河星系的紅天行者
KIN 74 太陽的白巫師
KIN 75 行星的藍鷹
KIN 76 光譜的黃戰士
KIN 77 宇宙的紅地球
KIN 78 磁性的白鏡
KIN 79 月亮的藍風暴
KIN 80 電力的黃太陽

8/7 8/6 8/5 8/4 8/3 8/2
8/8 13 12 11 10 8/1
8/9 14 9 7/31
8/10 15 8 6 7/30
8/11 16 5 7/29
8/12 17 18 4 7/28
8/13 19 3 7/27
8/14 20 21 1 2 7/26
8/15 22 28 8/22
8/16 23 24 25 26 27 8/21
8/17 8/18 8/19 8/20

GM108X

啟動

1320

和平匯聚紀念日
自我存在的紅月年
是第35週年

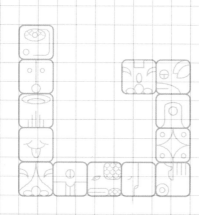

風暴波符
徹底釋放催化出無限的能量

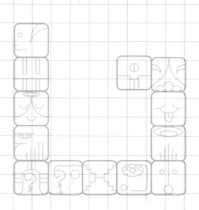

人的波符
自由意志就是行動所及的範圍

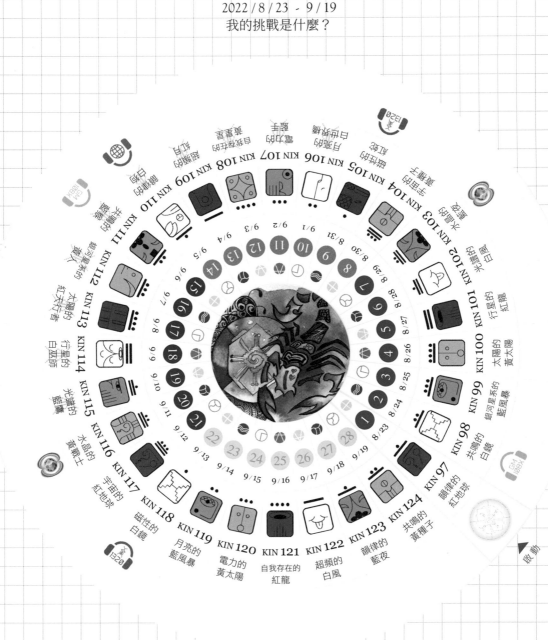

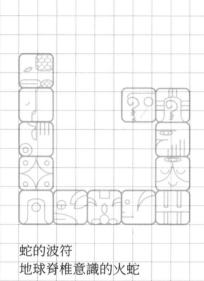

蛇的波符
地球脊椎意識的火蛇

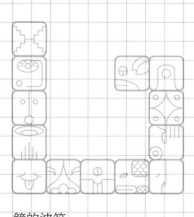

鏡的波符
我的自畫像

服務的電力鹿之月

第三個月亮

2022 / 9 / 20 - 10 / 17

我如何能做到最好的服務？

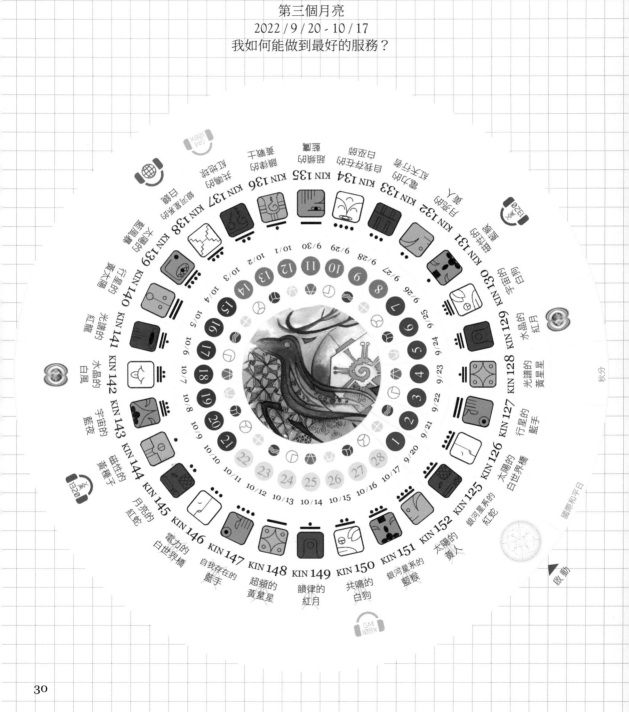

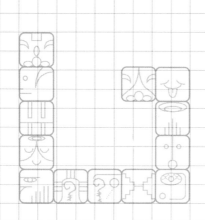

猴的波符
猴王的佛國淨土

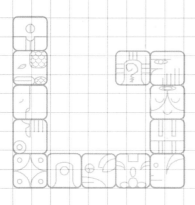

種子波符
在種子破殼時死於愛

形式的自我存在貓頭鷹之月

第四個月亮

2022 / 10 / 18 - 11 / 14

我會採取什麼樣的形式來服務？

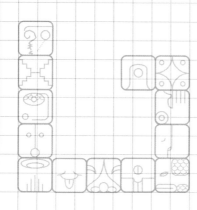

地球波符
飛行地球的領航者

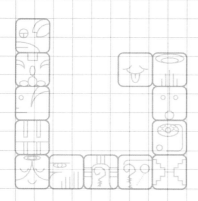

狗的波符
愛是愛因斯坦唯一沒有說的祕密

光芒四射的超頻孔雀之月

第五個月亮

2022 / 11 / 15 - 12 / 12

我如何能被授予最佳的力量？

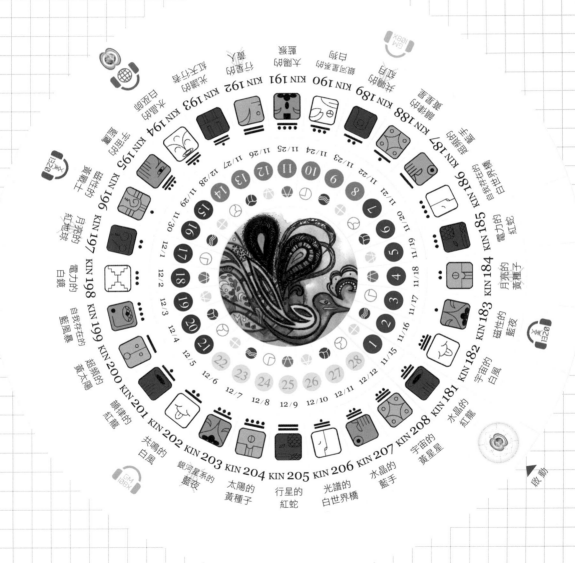

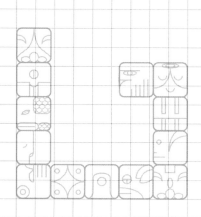

夜的波符
夢想家的嘉年華會

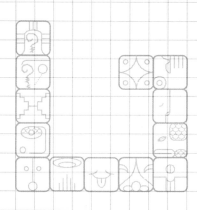

戰士波符
認識自己，記得自己，無所畏懼

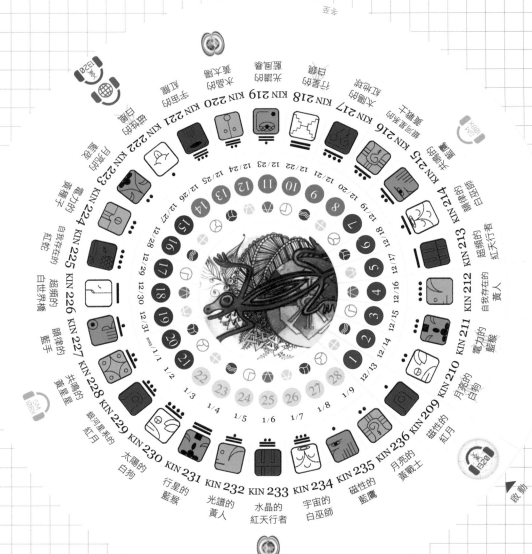

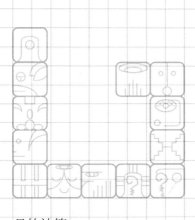

月的波符
水滴穿石的煉金術

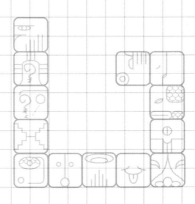

鷹的波符
心智場域的宏觀視野

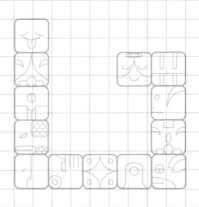

風的波符
鼻子的自由在於呼吸

協調的共鳴猴之月
第七個月亮
2023 / 1 / 10 - 2 / 6
我如何能使我的服務與他人協調融合？

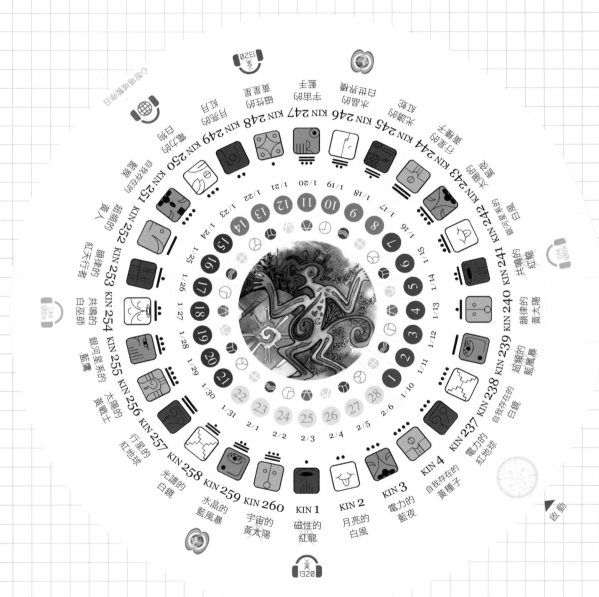

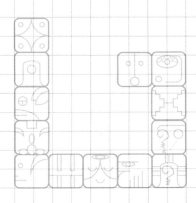

星星波符
天河星際的美麗航行

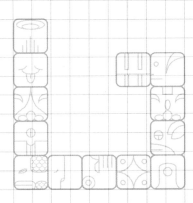

龍的波符
我是誰？一個古老記憶的個人歷史

完整的銀河星系鷹之月

第八個月亮

2023 / 2 / 7 - 3 / 6

我是否活出我所相信的？

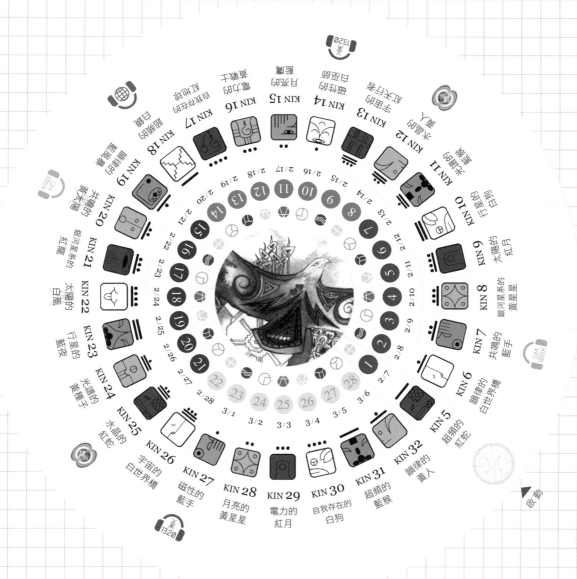

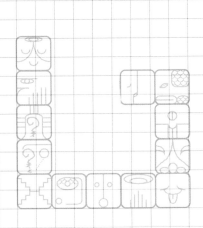

巫師波符
巫師的微笑隱藏著不可說的奧祕

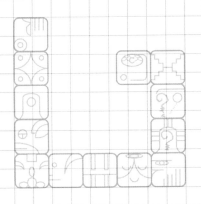

手的波符
松果體的奇蹟之手

意圖的太陽豹之月

第九個月亮
2023 / 3 / 7 - 4 / 3
我如何完成我的目的？

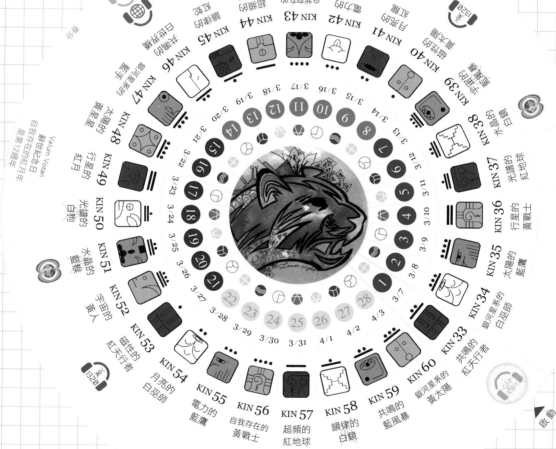

自我存在的
黃戰士

KIN 55
電力的
藍鷹

KIN 54
月亮的
白巫師

KIN 53
磁性的
紅天行者

KIN 52
宇宙的
黃人

KIN 51
水晶的
藍猴

KIN 50
光譜的
白狗

KIN 49
行星的
紅月

KIN 48
太陽的
黃星星

KIN 47
銀河星系的
藍手

KIN 46
超頻的
紅蛇

KIN 45
韻律的
黃種子

KIN 44
自我存在的
紅地球

KIN 43
電力的
白鏡

KIN 42
磁性的
藍風暴

KIN 41
宇宙的
黃太陽

KIN 40
水晶的
紅龍

KIN 39
光譜的
白風

KIN 38
行星的
藍夜

KIN 37
太陽的
黃種子

KIN 36
銀河星系的
紅蛇

KIN 35
太陽的
藍鷹

KIN 34
銀河星系的
白巫師

KIN 33
共鳴的
紅天行者

KIN 60
銀河星系的
黃太陽

KIN 59
韻律的
白鏡

KIN 58
超頻的
紅地球

KIN 57
自我存在的
黃戰士

KIN 56

Valum Votan
辭世紀念日
是第112週年
自殺存在的紅月年

3/7 3/8 3/9 3/10 3/11 3/12 3/13 3/14 3/15 3/16 3/17 3/18 3/19 3/20 3/21 3/22 3/23 3/24 3/25 3/26 3/27 3/28 3/29 3/30 3/31 4/1 4/2 4/3

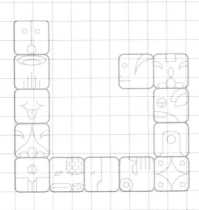

太陽波符
陽光燦爛的日子

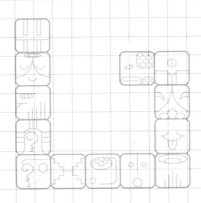

天行者波符
擁有時空原力的天行者

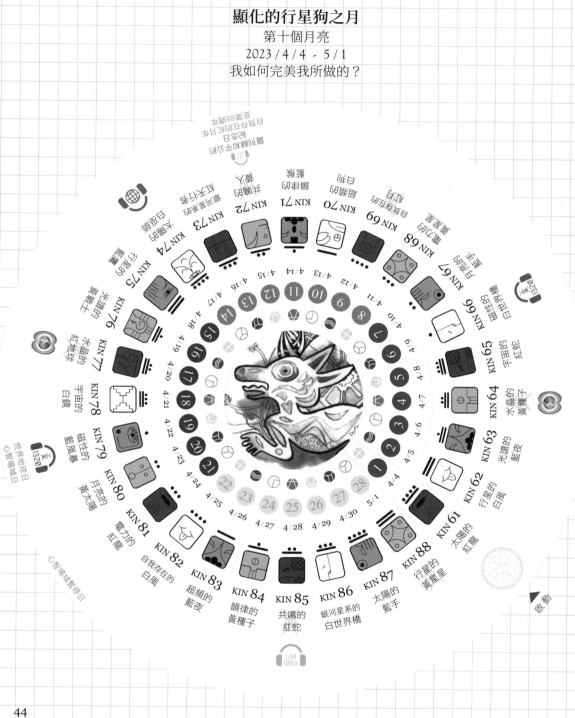

顯化的行星狗之月
第十個月亮
2023 / 4 / 4 - 5 / 1
我如何完美我所做的？

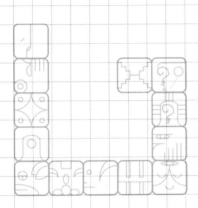

世界橋波符
死亡是生命均衡的宇宙法則

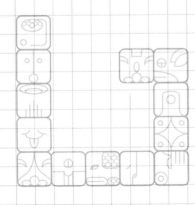

風暴波符
徹底釋放催化出無限的能量

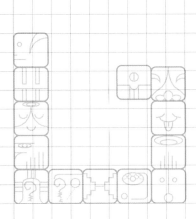

人的波符
自由意志就是行動所及的範圍

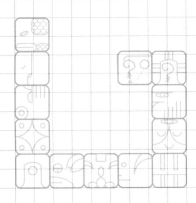

蛇的波符
地球脊椎意識的火蛇

合作的水晶兔之月

第十二個月亮

2023 / 5 / 30 - 6 / 26

我如何全心地奉獻予所有的生命？

KIN 128 水晶的黃星星
KIN 127 行星的藍手
KIN 126 太陽的白世界橋
KIN 125 銀河星系的紅蛇
KIN 124 共振的黃種子
KIN 123 韻律的藍夜
KIN 122 超頻的白風
KIN 121 自我存在的紅龍
KIN 120 電力的黃太陽
KIN 119 月亮的藍風暴
KIN 118 磁性的白鏡
KIN 129 宇宙的紅月
KIN 130 光譜的白狗
KIN 131 共振的藍猴
KIN 132 月亮的黃人
KIN 133 電力的紅天行者
KIN 134 自我存在的白巫師
KIN 135 超頻的藍鷹
KIN 136 韻律的黃戰士
KIN 137 共鳴的紅地球
KIN 138 銀河星系的白鏡
KIN 139 太陽的藍風暴
KIN 140 行星的黃太陽
KIN 141 光譜的紅龍
KIN 142 水晶的白風
KIN 143 宇宙的藍夜
KIN 144 磁性的黃種子
KIN 117 宇宙的紅地球

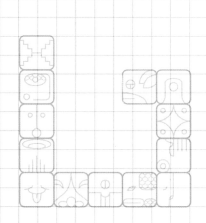

鏡的波符
我的自畫像

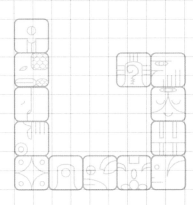

種子波符
在種子破殼時死於愛

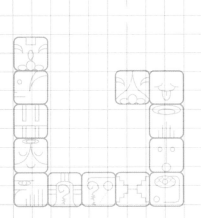

猴的波符
猴王的佛國淨土

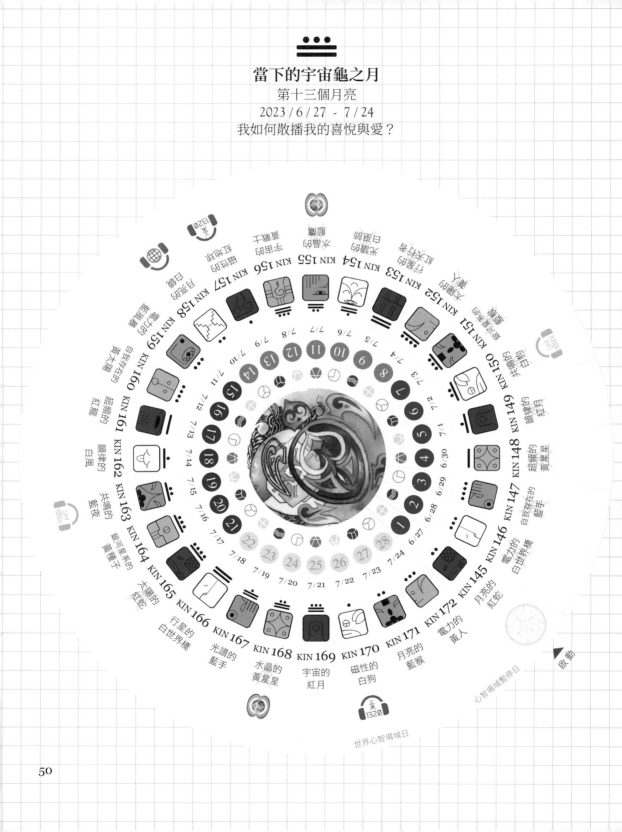

當下的宇宙龜之月

第十三個月亮
2023 / 6 / 27 - 7 / 24
我如何散播我的喜悅與愛？

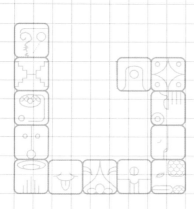

地球波符
飛行地球的領航者

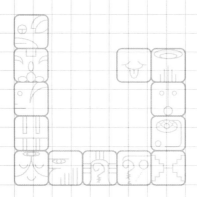

狗的波符
愛是愛因斯坦唯一沒有說的秘密

全球無時間日慶典

2023 / 7 / 25

彩虹橋靜心

　　觀想你就在地球核心裏的八面水晶體，在上方有兩個紅色的面與兩個白色的面，在下方有兩個藍色的面與兩個黃色的面，在地球核心的中央是一個強烈耀眼的白色光點，有一道乙太光柱就從這耀眼的中心向北極，向南極延伸到八面水晶體的雙尖。

　　紅色與藍色不斷流動的管道，就像兩條 DNA 基因鏈，螺旋盤繞在乙太中軸。在水晶體的核心是四個時間原子。紅色的時間原子位在中軸的北極，藍色的時間原子位在中軸的南極。八面水晶體從中心點以水平橫向放射形成的平面重力場。沿著這個平面還有兩個時間原子，白色與黃色的時間原子，它們像槳輪一般以逆時針方向繞著中心轉動。

　　就是現在，觀想從水晶體的核心有一道充滿等離子體繽紛炫麗的光束沿著中軸向地球的兩極流動，從那兒分別以 180 度放射形成了兩條彩虹環帶。就在地球自轉的同時，彩虹橋保持安穩，且始終如一，靜止如常。

　　接下來，將這個環繞著彩虹橋的地球的視覺畫面，放在你的心裡面。想像這兩道彩虹光束，沿著你的脊柱移動，從你的頭頂，腳底，放射形成了環繞著你的身體的彩虹橋。現在，你與彩虹橋合而為一。這個屬於世界和平的彩虹橋是真實的。觀想足夠多的人就在這愛的心電感應波之中，彩虹橋必然成為真實。

HUNAB KU 圖騰塗色靜心

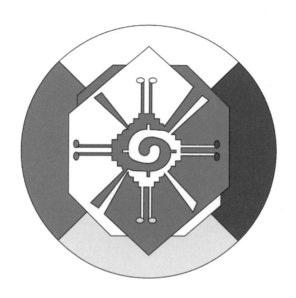

　　HUNAB KU 在馬雅文化中，代表「銀河中心」。這個圖騰是因為荷西·阿圭列斯博士於 1987 年出版《馬雅元素》一書而廣為人知。銀河中心就是整個銀河系中那個運動與測量的唯一給予者與創造者，從那裡，一切都有可能。

　　一旦你開始進行 HUNAB KU 圖騰塗色靜心時，你就開始與銀河中心那創造者動力的源頭共時同步了，那麼就用你意念的力量，來創造生命中的一切美好吧！

　　我們特別在年曆中，準備一張尚未彩繪，且印有 HUNAB KU 圖騰的塗色紙，在進行塗色之前，要請你準備好紅、藍、黃、綠四種顏色的彩筆、或色鉛筆，或旋轉蠟筆。

　　你可以選擇任何一個日子來進行這個靜心，在開始塗色之前，找一個可以靜心的空間，讓自己放鬆地坐下來，感覺到自己的呼吸，有意識地放慢自己的呼吸，然後，輕輕閉上眼睛，回到自己的心，感覺自己的身體慢

慢放鬆下來了。就在此時，在心裡，清楚設定一個當下你最想要實現的願望、或意圖，透過你的心念，將傳送到銀河中心 HUNAB KU。當你準備好的時候，慢慢睜開眼睛，然後，將意圖寫在空白處。接下來，專注凝視銀河中心 HUNAB KU 的圖騰，從任何一個你最想要塗的顏色開始，依據紅色／東方，白色／北方，藍色／西方，黃色／南方，中心／綠色，對照彩色版的 HUNAB KU 進行塗色。就在你塗色的同時，請將對應其顏色的光，注入到銀河中心，並且連結來自銀河七方的力量。在此，要提示你，因為北方所對應的顏色是白色，你只要用清晰的意念將白色的光注入到北方的區域。當你完成時，請簽上你的名字，並畫下當天的印記，以及記錄下塗色的日期。這個靜心，可以在日常的任何時刻進行。記得，一旦我們回到自己的心的同時，就與銀河中心的創造力共時同步；而且，我們相信：奇蹟就發生在日常的潛移默化中。祝福我們都能好幸運。

In Lak' ech, Ala Kin. 你是我，我是另外一個你。

旅程來到最賦神性的聖境，那是一種不可名狀又深含敬慕與崇敬的感恩，感謝這趟時間旅行的所有因緣聚合，最要特別感謝的是引領我們開啟時間旅行的勇者先驅 —— 荷西‧阿圭列斯 / 瓦倫‧沃坦，以及時間法則的傳承者 —— 紅皇后 / 史蒂芬妮‧南，還有將和平留給地球的尼古拉斯‧羅列赫，在這裡，深深叩禮致上無上的謝意。最後，要分享他們的故事，讓我們可以追隨先行者足跡的線索，指引我們的生命熱血與渴望朝向那最終極的完成。

時間旅人的先驅

荷西‧阿圭列斯 / 瓦倫‧沃坦
José Argüelles / Valum Votan
1939 年 1 月 24 日 - 2011 年 3 月 23 日
Kin 11 光譜的藍猴 - Kin 89 光譜的紅月

荷西・阿圭列斯博士（José Argüelles）出生於 1939 年 1 月 24 日，明尼蘇達州的羅切斯特市（Rochester, Minnesota）。他有一位雙胞胎兄弟伊凡（Ivan），父親是墨西哥人，母親是德裔美國人。5 歲之前，他們都在墨西哥生活。

阿圭列斯博士因於 1987 年 8 月 16 至 17 日發起舉世聞名的「和平匯聚 —— 全球和平靜心」而為人所熟知。這個時期，他也喚醒大量的意識開始關注 2012 年所具有的重要意義，並且將世界的注意力轉向馬雅，關注他們的曆法系統。他的暢銷書《馬雅元素》（The Mayan Factor）印證了馬雅曆法具有自然時間的週期，以此揭示出 2012 年將迎來歷史上前所未有的銀河星系的轉變，以及 2013 年 7 月 26 日即進入全新的銀河光束。

阿圭列斯博士是世界地球日（Earth Day）的創立者之一，以及全球慶典（Whole Earth Festival）的創立者。而全球慶典的創立已在加利福尼亞州的戴維斯（Davis）有 43 年之久。1974 年，在第五屆年度全球慶典期間，他因作為「全球慶典之父」而獲得來自加利福尼亞州的特殊表彰，嘉獎他為加利福尼亞州的藝術與文化所做出的貢獻。基於對藝術和文化的熱愛，他於 1969 年獲得芝加哥大學藝術史與美學博士學位。接著他便開始學術性的教職生涯：曾在普林斯頓大學、加利福尼亞州戴維斯大學、常青州立大學、那洛巴學院、舊金山州立大學、舊金山藝術學院、科羅拉多大學丹佛分校、聯盟研究學院，擔任教授。

他撰寫了眾多哲學與文化的論文與詩歌，這些深具先驅開拓性的著作已被翻譯成多種文字，其中包括：《馬雅元素》、《地球揚升》、《跨次元互聯網》（Surfers of the Zuvuya）、《大角星探針》、《時間與技術場：人類事件中的時間法則》，七卷《宇宙編年史大紀事》（與史蒂芬妮・南合著），還有《心智場域顯化之道：人類意識的進化》。

作為一位多產的藝術家，阿圭列斯博士曾為大量書籍繪製插圖，亦曾為期刊《致幻劑：用途和影響》製作過藝術封面。他還曾於 1968 年在普林斯頓大學美術館，以及 1969 年在洛杉磯的內城畫廊（Inner City Gallery）舉辦過畫展。至今仍能見到他於 1969 年在加利福尼亞州立大學達維斯分校，以及於 1972 年在華盛頓奧林匹亞常青州立大學的丹·伊萬圖書館創作的壁畫。跟隨丘揚創巴仁波切（Chögyam Trungpa Rinpoche）學習時，他協辦過在洛杉磯（1980 年）和舊金山（1981 年）的法藝展。他的幻視畫作也曾於 1999 至 2000 年在俄勒岡州波特蘭的「時間就是藝術」畫廊展出。「感知之門」系列畫作曾於 2004 至 2005 年在俄勒岡州阿什蘭「時間就是藝術」畫廊展出。

他是一位畢生支持和平與行星意識轉化的藝術活動家。1968 年 3 月 25 日在紐約市，他聯合組織了一場轉化的運動。1983 年與 Lloydin 共同創立了行星藝術網，且共同發起 1994 年全球 13 月亮曆法變革的和平運動。行星藝術網（PAN）擴展散播至超過 90 個國家，倡導藝術是全球和平的基礎，與此同時，使尼古拉斯·羅列赫和平公約（Nicholas Roerich Peace Pact）與和平旗（1935 年）得以復甦。

他於 1970 年受到來自托尼·希爾（Tony Shearer）預言訊息的啟發，將他畢生對於數學和馬雅曆法中預言的研究精煉成為 1987 年和平匯聚。這次活動也用來紀念墨西哥預言者羽蛇神（Quetzalcoatl）的「13 個天堂和 9 個地獄」週期預言的最後一天。

作為一位比較宗教學與世界思想的學者，他為易經研究做出重要貢獻。他曾跟隨丘揚創巴仁波切多年，研修藏傳佛教。餘生，他致力於研究《可蘭經》中的數學與時間法則之間的關係。然而，他最廣為人知的莫過於是他在馬雅曆法中數學上的研究取得開創性的成就。於 1953 年，14 歲

的他，在墨西哥特奧蒂瓦坎的太陽金字塔頂端的一次靈視經驗，使他對馬雅曆法相關的數學以及預言展開畢生的研究。他解碼馬雅曆法中的數學，又於 1989 年發現時間法則。

依據時間法則，現代人類正處於危機之中。此源於人類沉浸在錯誤的、人造的時間感知中，而導致人類文明加速背離宇宙的自然秩序。為了糾正改變這種自我毀滅的處境，就要讓集體團結統一進入銀河星系的意識。為此，他藉由 13 月亮 28 天曆法有規律的測量方式，推動重返自然規律的時間週期。馬雅人使用的曆法多達 17 種，且同時以多種週期來生活。然而，阿圭列斯博士發現 13 月亮 28 天的週期不僅是一部曆法，也是一個統一所有其他系統與計年方式的共時同步的母體矩陣。基於此種原因，他稱其為：「共時同步鍵」，一種測量共時性的工具。為了準備從線性時間轉向銀河星系時間的轉換，他創造大量為四維時間導航的工具，其中包括《夢語境：2013 地球時間飛船之旅》、《解開巴伽爾‧沃坦 TELEKTONON 預言棋盤的奧祕》，還有《7:7::7:7》、《巨石之謎》，以及距今最近的全腦共時活化的意識發展科學（Synchronotron）的系統。

自 1992 年起直到他於 2011 年辭世，阿圭列斯博士倡導并組織每年 7 月 25 日無時間日慶典，藉由全球文化的慶典來實現和平，以及推廣彩虹橋靜心。他持續不斷遊歷於地球的很多地方，舉辦不計其數的會議與研討會，樹立從「時間就是金錢」轉化為「時間就是藝術」的典範。

他亦受到眾多不同文化領域的認可。於 2000 年獲得雜誌《Magical Blend》的千禧年獎。2002 年 3 月 3 日，於墨西哥特奧蒂瓦坎的太陽金字塔，九位原住民長老授予他「瓦倫‧沃坦（Valum Votan），偉大週期的結束者」的尊稱。九位長老認出他就是帶來新知識，復興傳統知識的那個使者，並且授予他權杖，以喚醒人類認出 2012 年，即馬雅曆法（以及其他眾多曆

法）中 5,125 年大週期結束的意義。2003 年 10 月 9 日，俄羅斯聖彼得堡的科普特正教會的大主教，公開承認他就是馬雅預言的傳訊者。

他是時間法則基金會（2000 年至今）首席創始人與會長。時間法則基金會是一個推廣新時間知識與 13 月亮曆法的非營利性組織。2002 年，他認出他的學徒，史蒂芬妮‧南（Stephanie South）很快便開始了著名的星際馬雅傳輸的教育計劃，一直持續到 2011 年他辭世。2005 年，他與南開始心智場域計劃 II，並與 ISRICA（俄羅斯國家科學院的一個機構）加了巴伽爾‧沃坦全球心電感應實驗。2005 年，他提出 CREST13 的預視願景：致力於自然心智的復原、研究與教育且自身可永續運行的中心，著眼在全球心電感應的實驗（www.crest13.org）。他在 2009 年於俄羅斯的莫斯科，以心智場域精神生態的世界大會成員的身分，發起心智場域世界論壇（www.noosphereforum.org）。

2009 年，他在義大利奇斯泰尼諾的巴巴吉 (Babaji) 的靜心道場，舉辦此生最後的 7 日研討會「全腦共時活化的意識發展科學」(Synchronotron)。同年，他也被提名為布達佩斯俱樂部的榮譽會員。

2010 年，他在墨西哥城獲得和平旗國際委員會授予的最高榮譽：尼古拉斯‧羅列赫和平勳章。2011 年馬雅巫醫、國際 13 位美洲原住民祖母理事會的成員 Flordemayo 為博士畢生的貢獻致上崇敬的敬意。

荷西‧阿圭列斯博士於 2011 年 3 月 23 日（第九個月亮的第七天，KIN 89）上午 6:10（恰好是他出生的時間）辭世，正好共時在巴伽爾‧沃坦（西元 683 年）辭世後的 1,328 年。作為一位來地球遊歷的時間旅人，他開拓的時間之道，為後人留下了輝煌新地球，重返地球新樂園的預言線索。

時間法則的傳承

紅皇后 / 史蒂芬妮‧南
Stephanie South
Kin 185 電力的紅蛇

　　現任時間法則創意總監。她是一位神祕學家、藝術家、對共時富於遠見的願景者，也是一位星際馬雅心智傳輸的傳承者。

　　在年輕時，史蒂芬妮感到此生如夢似幻，並試圖尋找隱藏在外部事件背後的真相。在 19 歲時，她經歷了兩次瀕死的體驗，這完全改變了她對現實本質的認知。在親眼目睹其他世界的浩瀚廣闊後，她不再對地球的生活抱有幻想，而陷入了深深的抑鬱中。在將近一年的與世隔絕後，她繼續完成學業，並且取得新聞學學位。在任職報社記者期間，夜晚的夢境開始以清醒夢的方式呈現，於是她向外界求助，希望能對這些經驗有更深的理解。

　　1997 年，她遇見保羅‧李維（Paul Levy）。李維是榮格學者，也是奧勒岡州波特蘭市蓮花生大士佛教中心的負責人。隨後，在藏傳佛教上師巴登（Palden）堪布與澤旺堪布（Khenpo）教導下，她入門修習大圓滿靜心。不久之後，有人介紹她與瓦倫‧沃坦 / 荷西‧阿圭列斯（José Argüelles）認識，她立刻感受到兩人間莫名的連結和逐漸甦醒的記憶。此時，她開始依循 13 月亮曆法生活。這促使她在意識上加速轉變，並且經驗到更多的共時事件。

　　2000 年，在墨西哥帕倫克的紅皇后之墓，她經歷了首次靈視體驗，此次經驗成功喚醒了一段深刻記憶，讓她憶起在另一世所立下的契約。

2002 年，史蒂芬妮成為瓦倫·沃坦的全職學徒，於是一個神秘的通道便就此開啟。這是介於世界間的傳輸通道，他們稱之為 GM108X（星際馬雅心智傳輸通道）。在傳輸過程中，嶄新而原始的振動進入他們的身體，並為整個房間的空氣注入電力，而在褪去世俗的人格面具後，他們只知道自己是「沃坦」與「紅皇后」。這些傳輸與世界上所有的宗教、科學、藝術及各式各樣的傳統和信仰體系的研究結合在一起，所有相關的知識被整理成一套七卷的書籍，稱為《宇宙編年史》（*Cosmic History Chronicles*）。她是荷西·阿圭列斯博士（Dr. José Argüelles）/ 瓦倫·沃坦（Valum Votan）的門徒和伴侶，曾與荷西博士一起致力於「心智場域計畫 II」長達九年之久。這項計劃探索意識的內在領域和心電感應的科學，以及基於銀河星系時間科學的共時性。

2011 年阿圭列斯辭世後，史蒂芬妮隱居閉關近兩年。在 2013 年重返美國前，她完成了最後一本也就是《宇宙編年史》第七冊，以及荷西·阿圭列斯的傳記《時間、共時性與曆法變革：荷西·阿圭列斯遠見卓識的一生與工作成果》。

史蒂芬妮著述超過 10 餘本，其中包括得獎作品《獵戶瞳孔》（*Accessing Your Multidimensional Self*）以及《無名狀：皈依時間的中心》（*The Uninscribed: Initiation into the Heart of Time*）。

她是時間法則基金會的創意總監，該基金會倡導一種新的時間感知——藉由 13 月亮曆進入共時性的頻率。時間法則也為我們人類正在經歷的各種轉變提供了行星與全系統的脈絡。除了發布電子月報及星際雙年電子雜誌，藉由藝術來傳授教導外，她也周遊世界各地，協助其他時間旅人喚醒自己的宇宙本質。

尼古拉斯・羅列赫與和平旗

尼古拉斯・羅列赫
Nicholas Roerich
（1874-1947）
Kin 204 太陽的黃種子

俄羅斯畫家、科學家、富於遠見的藝術家、和平工作者。

「和平旗」（The Banner of Peace）是一個強大的通用符號，由富有遠見的藝術家尼古拉斯・羅列赫 (Nicholas Roerich) 改編而成，反映人類文化凌駕於戰爭的渴望。這面旗幟是一種表示和平與文化的符號，自一九三〇年代以來，已經在全球各地飄揚著。

「羅列赫公約」與「和平旗」是一個國際條約，目前已有印度、波羅的海國家和包括美國在內的二十二個美洲國家簽署。「羅列赫和平公約」建立一項國際協議，讓每個國家得以使用這幅象徵性的「和平旗」保護其文化或藝術遺產。這項條約於一九三五年簽訂，現今已經成為國際法。

這個和平條約由許多國際專家及律師協助擬定，在簽署期間受到許多知名人士的推崇，包括愛因斯坦（Albert Einstein）、蕭伯納（George Bernard Shaw）和赫伯特・喬治・威爾斯（H.G. Wells）。該條約規定：「在戰爭期間，教育、藝術和科學機構……應受到交戰國的保護和尊重……不得對任何特定機構或外交使團的效忠國有任何歧視……這些外交使團可能會出示和平旗……使他們得以獲得特別的保護和尊重……」因此，世界各地的文化活動場所皆可懸掛和平旗，以表明自己中立，不受任何武力支配，並受到國際條約保護的立場。

這特別的旗幟是一面白色旗幟，上方繪有三個紅色的圓，周圍再由一個較大的圓圈包圍著。這面旗幟上的顏色可以是深紅色或洋紅色，指的是人類血液的唯一顏色，任何人都不例外。最上方的圓代表靈性，以及所有宗教所蘊含的真理，因此無論其信仰為何，我們都可以團結起來，而下方的兩個圓則分別代表藝術及科學。最後，將三個圓包圍起來的圓圈代表文化，也就是藝術、科學及靈性的團結統一。

和平所在之處，即是文化。
文化所在之處，即是和平。

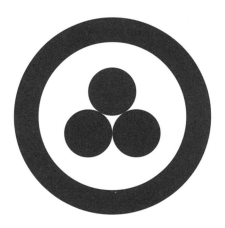

「霍皮族（Hopi）流傳著這樣的傳說，人們會受到警告與暗示要採取行動，以準備迎接舊世界的消逝與下一個世界的新創造。這一觀念也適用于作為行星地球成年禮的心智場域（Noosphere）。」

—— 《心智場域顯化之道》

TZOLKIN

	1	21	41	61	81	101	121	141	161	181	201	221	241
	2	22	42	62	82	102	122	142	162	182	202	222	242
	3	23	43	63	83	103	123	143	163	183	203	223	243
	4	24	44	64	84	104	124	144	164	184	204	224	244
	5	25	45	65	85	105	125	145	165	185	205	225	245
	6	26	46	66	86	106	126	146	166	186	206	226	246
	7	27	47	67	87	107	127	147	167	187	207	227	247
	8	28	48	68	88	108	128	148	168	188	208	228	248
	9	29	49	69	89	109	129	149	169	189	209	229	249
	10	30	50	70	90	110	130	150	170	190	210	230	250
	11	31	51	71	91	111	131	151	171	191	211	231	251
	12	32	52	72	92	112	132	152	172	192	212	232	252
	13	33	53	73	93	113	133	153	173	193	213	233	253
	14	34	54	74	94	114	134	154	174	194	214	234	254
	15	35	55	75	95	115	135	155	175	195	215	235	255
	16	36	56	76	96	116	136	156	176	196	216	236	256
	17	37	57	77	97	117	137	157	177	197	217	237	257
	18	38	58	78	98	118	138	158	178	198	218	238	258
	19	39	59	79	99	119	139	159	179	199	219	239	259
	20	40	60	80	100	120	140	160	180	200	220	240	260